EXPLORE LA MER

ET SES RIVAGES

DOMINIQUE JOLY
FRANÇOIS JEANNEQUIN - MARC MOSNIER

MANGO

© Éditions Mango, 1993

Dépôt légal : mai 1993

Réalisation : Agence Média

Texte : Dominique Joly

Illustrations : François Jeannequin, Marc Mosnier

Relecture scientifique : Jean-Philippe Lacoste
(Conservatoire de l'espace littoral et des rivages lacustres)

Remerciements : Abel Segretin, Françoise Jacon,
Pierre Julien

TABLE DES MATIÈRES

EXPLORE
LE BORD DE MER

Le rivage est la région étroite
où se rejoignent la terre et la mer.
Battue par les vents, modelée
par les vagues et les marées,
elle foisonne de plantes et
d'animaux. Enfouis, perchés,
agrippés ou nichés, ils ont tous
trouvé une astuce pour faire face
à l'assaut de la mer. Marche le long
du littoral, grimpe sur les rochers,
scrute les mares et les flaques,
monte sur les falaises et escalade
les dunes. Les bords de mer
te livreront tous leurs secrets
si tu sais les approcher avec
patience et respect.

MATÉRIEL D'EXPLORATION

une carte détaillée
pour te repérer
sur la plage
que tu explores

une pelle
pour creuser
dans le sable

une boîte en plastique
pour observer la vie
dans les mares

des jumelles

LA PLANÈTE BLEUE

En regardant la Terre de leur vaisseau spatial, les premiers astronautes s'étonnèrent de voir apparaître notre planète toute bleue ! Plus de 70 % de sa surface est recouverte par l'eau des mers et des océans, soit une étendue de 361 millions de km² (650 fois la France).

MERS ET OCÉANS

Il y a 5 océans : Pacifique **1**, Atlantique **2**, Indien **3**, Glacial antarctique **4**, Glacial arctique **5**. L'océan Pacifique est le plus grand (180 millions de km²) et le plus profond (la fosse des Mariannes*, au large des Philippines, est à environ – 11 000 m).

Il y a plusieurs types de mers :
• mers intérieures, qui communiquent avec d'autres mers ou avec les océans par des détroits (mer Méditerranée, mer Rouge, mer Noire, etc.) • mers fermées, qui n'ont aucune ouverture mais contiennent de l'eau salée (mer Caspienne, mer Morte, etc.) • mers bordières, en bordure des côtes et des océans (mer du Nord, mer des Caraïbes, mer de Chine, Manche…).

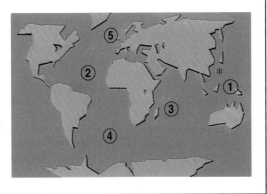

POURQUOI LA MER EST-ELLE SALÉE ?

L'eau a la propriété de dissoudre un grand nombre de substances. Elle transforme en sel les silicates qui entrent dans la composition de la croûte terrestre. C'est ce phénomène chimique continu qui explique la salinité de l'eau de mer.

BLEUE, GRISE OU VERTE ?

Trois phénomènes expliquent la couleur de la mer :
- **la réflexion du ciel à la surface de l'eau.** Le ciel qui n'est pas toujours bleu se reflète dans la mer. Grise les jours couverts ou rosée au coucher du soleil, la mer change souvent de couleur ;
- **la présence d'éléments en suspension dans l'eau.** Dans une eau riche en plancton (voir p. 16), la dominante générale est verte ;
- **un phénomène d'optique.**

La lumière du soleil est composée de rayons de toutes les couleurs de l'arc-en-ciel, du violet au rouge. Or l'eau de mer absorbe d'abord les rayons de couleur chaude (rouge, orange, jaune) et en dernier les rayons de couleur bleue. À partir d'une profondeur d'environ 100 m, toute la lumière est absorbée, y compris la bleue : c'est le grand noir !

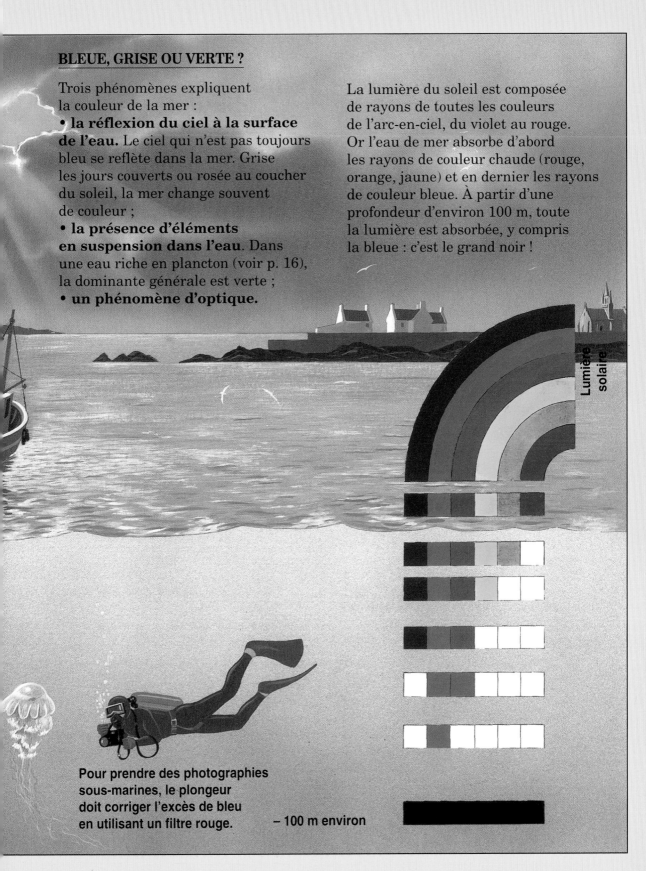

Lumière solaire

Pour prendre des photographies sous-marines, le plongeur doit corriger l'excès de bleu en utilisant un filtre rouge.

– 100 m environ

LA MER ET LE CLIMAT

Les océans et les mers agissent comme
des radiateurs gigantesques étalés
à la surface de la terre.

Le cycle de l'eau. Chauffée par
le soleil, l'eau de l'océan s'évapore.
En s'élevant, la vapeur d'eau refroidit et
se condense pour former des nuages.
L'eau des nuages tombe ensuite en pluie
ou en neige. Les rivières et les fleuves,
grossis par les pluies, rejoignent l'océan,
et tout recommence... C'est le cycle de l'eau.

Les grands courants marins.
De puissants courants marins, froids
ou chauds, parcourent les océans.
Ils entraînent d'énormes masses d'eau
et cela a pour effet d'adoucir ou de
rafraîchir le climat
des côtes situées à proximité.

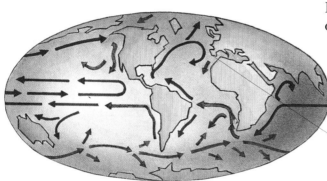

**Le Gulf Stream, ou, « dérive
nord-atlantique », est le
courant qui réchauffe les
côtes d'Europe occidentale.
Il prend naissance au large
de la Floride.**

Relève la température de l'eau
La température de l'eau de mer dépend
de plusieurs facteurs (courants, climat,
profondeur…). Au bord de la plage,
le soleil, le vent et les mouvements de
l'eau dus à la marée peuvent la faire
varier de quelques degrés. Observe
toi-même ces différences. Choisis
un jour où la mer est calme pour faire
des relevés au bord de la plage. Plonge
un thermomètre dans l'eau à différents
moments de la journée : le matin, le
soir, à marée basse et à marée haute.
Inscris tes résultats sur un carnet.

Que constates-tu ? Le moment
où l'eau est la plus chaude est le soir
à l'étale de haute mer. Pourquoi ?
• Le soir, car il y a une accumulation
de la chaleur solaire de la journée.
• À l'étale de haute mer, car le sable qui
a reçu le rayonnement solaire toute la
journée réchauffe une mince lame d'eau.

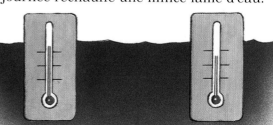

RECHERCHE DES FOSSILES AU PIED DES FALAISES

Les fossiles que tu peux trouver sont des restes ou des empreintes d'animaux marins conservés intacts pendant des millions d'années dans des dépôts sédimentaires (sable, vase, boue). Quand la mer s'est retirée, ces dépôts, exposés à l'air, se sont transformés en roches. Ils ont ainsi gardé dans leur prison de pierre des coquilles de moules, d'oursins, d'ammonites et des squelettes de poissons !

1. Regarde de près les blocs de calcaire au pied des hautes falaises. Les ammonites, ancêtres de la pieuvre et de la seiche, ont une coquille en forme de spirale.

2. Avec un marteau et un burin, détache le bloc de pierre contenant le fossile.

3. Chez toi, utilise des outils aiguisés pour dégager le fossile de sa gangue. Travaille avec minutie, car les fossiles sont assez fragiles.

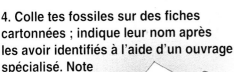

4. Colle tes fossiles sur des fiches cartonnées ; indique leur nom après les avoir identifiés à l'aide d'un ouvrage spécialisé. Note aussi la date et le lieu où tu les as trouvés.

EXTRAIS TON SEL MARIN

Cette méthode n'est valable que s'il fait très chaud et s'il y a du vent.

1. Prends une petite bassine en plastique de couleur sombre. Remplis-la d'eau de mer et place-la dans un endroit exposé au soleil et très bien aéré.

2. Ajoute de l'eau de mer au fur et à mesure de l'évaporation.
Goûte-la : elle est de plus en plus salée.

3. De petits cristaux se forment près des bords de la bassine. Continue à ajouter de l'eau et observe le sel se concentrer peu à peu au fond de la bassine. S'il fait très chaud, l'eau finira par s'évaporer complètement.

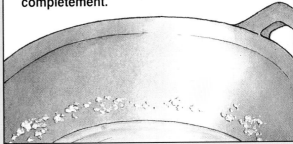

LA SALINITÉ DE L'EAU

On obtient la salinité en mesurant la quantité de sel contenue dans un litre d'eau de mer. La salinité moyenne est de 35 g de sel par litre d'eau. Elle augmente quand l'évaporation est importante et diminue quand l'eau de mer est mélangée à de l'eau douce (pluie ou fonte des glaciers polaires). Dans les embouchures des fleuves, l'eau salée se mêle lentement à l'eau douce et boueuse, mais elle peut remonter très loin à l'intérieur des terres.

PORTRAIT DES CÔTES

Là où finit la terre et où commence la mer, c'est la côte. As-tu remarqué, au cours de tes vacances, que les côtes n'avaient pas partout le même aspect ? Rocheuses, elles surplombent la mer et paraissent déchiquetées. Ailleurs, les côtes sont basses. Sableuses ou vaseuses, elles descendent en pente douce vers le rivage. Regarde attentivement le paysage. Monte en haut des falaises ou des dunes et observe la ligne de côte. Examine le relief. Cela t'aidera à identifier le bord de mer que tu explores.

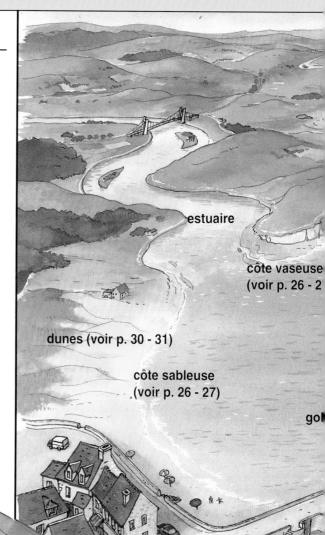

estuaire

côte vaseuse
(voir p. 26 - 2

dunes (voir p. 30 - 31)

côte sableuse
(voir p. 26 - 27)

go

Promène-toi avec une carte de la région. Repère les promontoires qui s'avancent dans la mer, les ports protégés par des jetées, les îles, les échancrures creusées aux embouchures des rivières et les grandes plages sableuses nichées au fond des baies. Emprunte les sentiers tracés. Ils étaient utilisés autrefois par les douaniers qui surveillaient la côte.

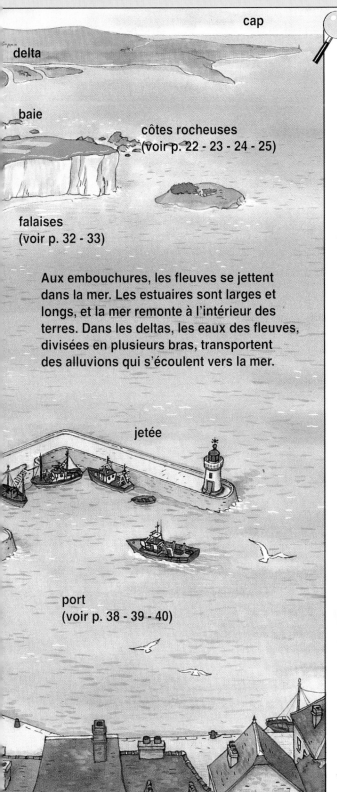

delta

baie

cap

côtes rocheuses
(voir p. 22 - 23 - 24 - 25)

falaises
(voir p. 32 - 33)

Aux embouchures, les fleuves se jettent dans la mer. Les estuaires sont larges et longs, et la mer remonte à l'intérieur des terres. Dans les deltas, les eaux des fleuves, divisées en plusieurs bras, transportent des alluvions qui s'écoulent vers la mer.

jetée

port
(voir p. 38 - 39 - 40)

OBSERVE LE SABLE

Le sable que tu aimes faire couler entre tes doigts est composé de minuscules morceaux de coquillages et surtout de débris de roches arrachés par la mer. Observe-le à la loupe et même au microscope.

La plupart des grains sont blancs, jaunes ou transparents : c'est du quartz, une roche très dure.

Certains sont roses, verts ou gris : il s'agit d'un feldspath.

D'autres, brillants, noirs ou blancs, sont des particules de mica.

Les infimes mais nombreux bris de coquillages donnent au sable une belle teinte claire et nacrée.

Récolte des échantillons de sable au cours de tes promenades sur les plages et conserve-les dans des petites bouteilles étiquetées (lieu, date du prélèvement). Compare la couleur et la finesse des grains. Tu seras bien étonné de découvrir des sables si différents !

LE JEU DES MARÉES

Flux et reflux

Les marées sont des mouvements de l'eau qui alternativement couvre la côte (marée montante, flux) puis la découvre (marée descendante, reflux). Le flux et le reflux sont des phénomènes complexes, dus essentiellement à l'attraction de la Lune et du Soleil sur la Terre. Le relief reste stable mais les océans et les mers, grandes étendues fluides, se déplacent en fonction de la position de la Lune et du Soleil par rapport à la Terre.

Qu'est-ce que l'attraction universelle ?

En 1687, le savant anglais Isaac Newton publie la théorie de l'attraction universelle selon laquelle deux corps en présence s'attirent mutuellement et exercent l'un sur l'autre une force d'attraction qui dépend de leurs masses et de la distance qui les sépare. Ainsi, le Soleil retient la Terre dans son orbite, et la Terre fait de même avec la Lune.

Les horaires des marées

La Terre tourne sur elle-même en 24 heures, et la Lune autour de la Terre, dans le même sens, en 29,5 jours. Il faut 24 heures et 50 minutes pour que la Lune se retrouve au-dessus du même endroit terrestre **A**. La marée est identique au point **A** et de l'autre côté du globe, au point opposé **B**, il se produit donc une marée haute toutes les 12 heures et 25 minutes. C'est-à-dire quand la Lune est au-dessus de **A** puis au-dessus de **B**.

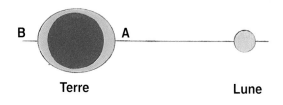

Terre   Lune

APPRENDS À LIRE UN HORAIRE DES MARÉES

Le coefficient indique l'importance de la marée : plus il est élevé, plus la marée est grande.

La hauteur indique le niveau atteint par l'eau. Pour rentrer au port ou en sortir, il ne doit pas être trop bas.

JOUR	PLEINES MERS MATIN U.T. (h m)	PLEINES MERS MATIN Hauteurs (m cm)	Cœff.	SOIR U.T. (h m)	SOIR Hauteurs (m cm)	Cœff.	BASSES MERS MATIN U.T. (h m)	BASSES MERS MATIN Hauteurs (m cm)
M	2 54	7.55	52	15 16	7.35	48	9 57	2.70
M	3 43	7.25	45	16 11	7.05	42	10 46	2.95
J	4 43	7.05	41	17 17	6.90	41	11 46	3.05
V	5 50	7.00	41	18 24	6.95	43	0 17	3.00
S	6 54	7.20	45	19 26	7.20	49	1 24	2.90
D	7 51	7.50	52	20 19	7.55	56	2 28	2.70

La hauteur des marées

Elle dépend de plusieurs facteurs.

• Lorsque la Lune et le Soleil sont dans le même axe que la Terre, leurs forces d'attraction s'additionnent et l'amplitude des marées est plus grande : ce sont les marées de «vive-eau».

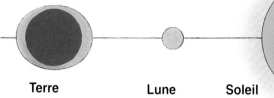

Terre   Lune   Soleil

• Quand les axes Lune-Terre et Soleil-Terre sont perpendiculaires, les marées sont faibles : on parle de «morte-eau».

Terre   Soleil

Lune

• Si la côte est très plate, la marée montante la recouvre très vite, mais elle ne grimpe pas très haut car l'eau s'étale en surface. En revanche, si la côte est escarpée, l'eau s'accumule et atteint un niveau élevé.

• Plus le volume d'eau qui subit la marée est grand, plus la marée est importante. (En Méditerranée, la marée existe, mais est peu sensible).

LE SAIS-TU ?

Les milieus «déséquilibrés» sont souvent des biotopes riches (faune et flore variées) : on peut citer les littoraux soumis à l'alternance régulière marée haute/marée basse (voir p. 22 - 23).

Prends des photos de la plage au moment où la mer est la plus haute, puis la plus basse. Compare les deux paysages : tu auras une idée de l'importance de la marée que tu observes.

DANS L'EAU DU RIVAGE

À quelques mètres du bord
de la terre s'ouvre le monde
mystérieux de la vie sous-marine.
Découvre-le à travers un masque
de plongée. Des milliers d'êtres
microscopiques flottent dans
l'eau trouble : c'est le plancton,
la nourriture des poissons.
Tu vois des algues qui ondulent
au gré des courants. Elles tapissent
les fonds et s'agrippent aux rochers.
Écarte leurs branches :
des animaux étranges surgissent
et des poissons se faufilent
entre les plantes filiformes.

PLONGÉE EN APNÉE

La durée. Un phoque parvient
à séjourner 45 minutes sous l'eau,
un cachalot 75 minutes, une baleine
bleue 2 heures ! Le record humain
est de 6 minutes 10 secondes.

La profondeur

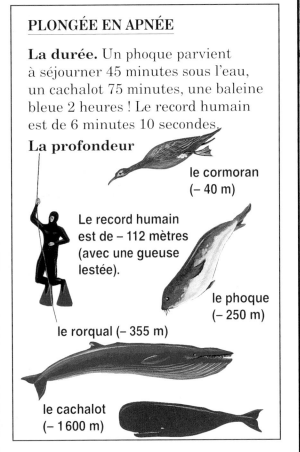

le cormoran
(– 40 m)

Le record humain
est de – 112 mètres
(avec une gueuse
lestée).

le phoque
(– 250 m)

le rorqual (– 355 m)

le cachalot
(– 1 600 m)

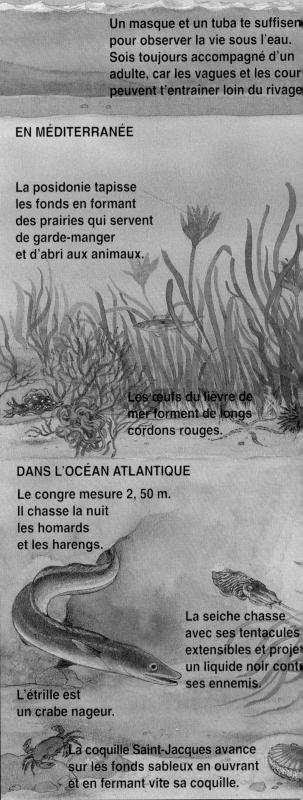

Un masque et un tuba te suffisen[t]
pour observer la vie sous l'eau.
Sois toujours accompagné d'un
adulte, car les vagues et les cour[ants]
peuvent t'entraîner loin du rivage[.]

EN MÉDITERRANÉE

La posidonie tapisse
les fonds en formant
des prairies qui servent
de garde-manger
et d'abri aux animaux.

Les œufs du lièvre de
mer forment de longs
cordons rouges.

DANS L'OCÉAN ATLANTIQUE

Le congre mesure 2, 50 m.
Il chasse la nuit
les homards
et les harengs.

La seiche chasse
avec ses tentacules
extensibles et proje[tte]
un liquide noir cont[re]
ses ennemis.

L'étrille est
un crabe nageur.

La coquille Saint-Jacques avance
sur les fonds sableux en ouvrant
et en fermant vite sa coquille.

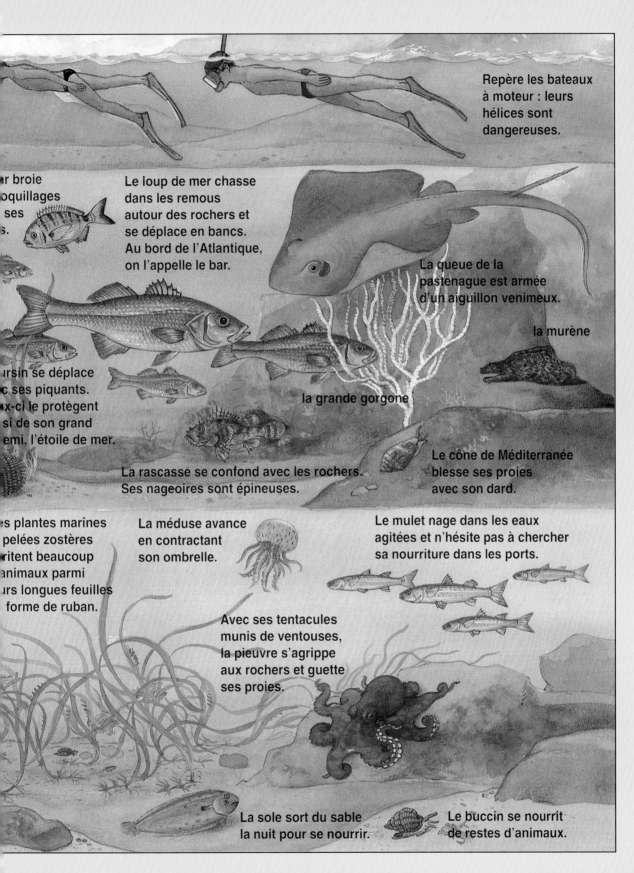

Repère les bateaux à moteur : leurs hélices sont dangereuses.

r broie
oquillages
ses
.

Le loup de mer chasse dans les remous autour des rochers et se déplace en bancs. Au bord de l'Atlantique, on l'appelle le bar.

La queue de la pastenague est armée d'un aiguillon venimeux.

la murène

rsin se déplace c ses piquants. x-ci le protègent si de son grand emi, l'étoile de mer.

la grande gorgone

La rascasse se confond avec les rochers. Ses nageoires sont épineuses.

Le cône de Méditerranée blesse ses proies avec son dard.

s plantes marines pelées zostères ritent beaucoup animaux parmi urs longues feuilles forme de ruban.

La méduse avance en contractant son ombrelle.

Le mulet nage dans les eaux agitées et n'hésite pas à chercher sa nourriture dans les ports.

Avec ses tentacules munis de ventouses, la pieuvre s'agrippe aux rochers et guette ses proies.

La sole sort du sable la nuit pour se nourrir.

Le buccin se nourrit de restes d'animaux.

L'UNIVERS DES ÊTRES MICROSCOPIQUES

Des milliards d'êtres, dont certains ne sont visibles qu'au microscope, vivent en suspension dans l'eau de mer : c'est le plancton. Le plancton animal – composé de cellules, d'œufs de poisson, de larves, de petites crevettes ou de méduses – se nourrit de plancton végétal.

Découvre le plancton la nuit

La nuit, le plancton animal remonte vers la surface pour dévorer le plancton végétal. Si la mer est calme, avance dans l'eau jusqu'aux genoux et braque une lampe torche sur la surface : des milliers de petits points fourmillent et scintillent de partout. C'est féerique !

RÉCOLTE DU PLANCTON

Place un petit récipient en plastique au fond d'une épuisette dont l'ouverture est dirigée vers l'avant.
Marche dans l'eau en la traînant pendant quelques minutes, sans toucher le fond.

À la maison, observe l'eau à la loupe ou, mieux encore, au microscope. Repère les copépodes avec leurs antennes. Ils sont très nombreux.

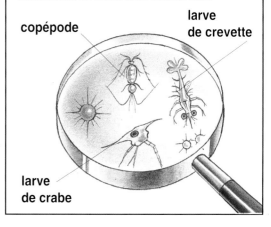

copépode

larve de crevette

larve de crabe

QUI MANGE QUI ?

Le plancton (1) végétal est à la base de la chaîne alimentaire.

Il est mangé par le plancton animal (2) et une multitude de petits animaux (3) : éponges, moules, oursins...

Ceux-ci sont à leur tour la proie de petits prédateurs (4) : calmar, petits poissons... ; eux-mêmes capturés par de gros carnassiers (5) comme le thon.

Certains poissons se nourrissent à la fois de plancton et de petits poissons.

5

4

3

2

1

UN HERBIER MARIN

Choisis des algues
pas trop épaisses,
qui sèchent facilement.

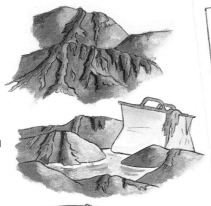

Récolte tes algues à marée
basse, dans des flaques ou
des mares. Mets-les dans
des sacs en plastique.

Chez toi, plonge-les
dans une bassine
remplie d'eau de mer.

Épingle tes algues
sur une feuille
de carton épais
pour leur donner une forme.

Couvre-les avec un buvard ou des feuilles
de journal, et recouvre le tout d'un morceau
de contre-plaqué surmonté d'un poids (gros
livre par exemple). Change le buvard et
les feuilles de journaux plusieurs fois pour
bien faire sécher tes algues.

contre-plaqué

buvard

Dispose tes algues sur les feuilles de
carton. Tu peux les fixer avec de la colle.
Elles sont souvent faciles à identifier à l'aide
d'un guide spécialisé. Marque leur nom et
range-les dans une chemise ou un classeur.

LE JARDIN DE LA MER

Les algues n'ont ni feuilles
ni racines. Elles se tiennent
le plus près possible de la surface
de l'eau, car elles ont besoin de
beaucoup de lumière. Certaines
algues sont flottantes, d'autres
s'accrochent aux rochers et aux
coquillages. Observe-les à marée
basse sur les rochers. Elles se
répartissent par étages, selon
leurs besoins en humidité.
Les grandes laminaires ainsi que
de nombreuses algues rouges
ne peuvent vivre que sous l'eau
(voir p. 22 - 23).

UNE PETITE CLASSIFICATION DES ANIMAUX MARINS

180 000 espèces animales vivent dans les océans, et sur les côtes. Tu peux distinguer les vertébrés, qui ont une colonne vertébrale, des invertébrés, qui n'en ont pas. À l'intérieur de ces deux grands groupes, il existe une multitude de classes divisées en familles.

LES VERTÉBRÉS

Les <u>poissons</u> ont un corps fuselé, couvert d'écailles. Ils se déplacent à l'aide de nageoires.

Les <u>reptiles</u> sont recouverts d'écailles ou de plaques et pondent des œufs.

Les <u>oiseaux</u> ont des plumes et pondent des œufs. Leurs membres antérieurs sont des ailes, qui servent au vol.

Les <u>mammifères</u> ont des mamelles et sont vivipares, c'est-à-dire que leurs petits viennent au monde déjà formés.

LES INVERTÉBRÉS

Les <u>mollusques</u> (bigorneau, buccin, calmar, seiche, pieuvre...) ont un corps mou. Les mollusques bivalves ont une coquille à deux valves. Les céphalopodes sont des mollusques à tentacules munis de ventouses.

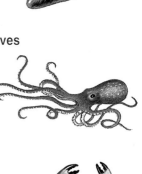

Les <u>arthropodes</u> ont un squelette externe articulé. C'est un très vaste embranchement qui comprend les araignées, les insectes et la famille des crustacés (crabe, écrevisse, homard... ; le seul crustacé terrestre est le cloporte).

La grande famille des éponges (<u>spongiaires</u>) a des poches percées de trous.

Certains <u>cnidaires</u> ont de nombreux tentacules qui piquent comme les orties. La méduse, l'anémone de mer, le corail rouge sont des cnidaires.

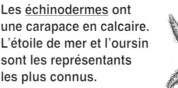

Les <u>échinodermes</u> ont une carapace en calcaire. L'étoile de mer et l'oursin sont les représentants les plus connus.

PÊCHE EN BORD DE MER

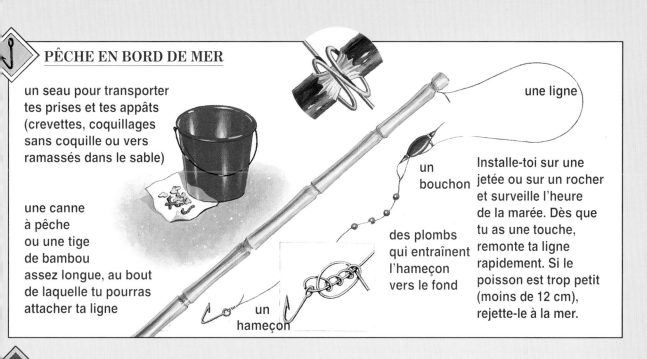

un seau pour transporter tes prises et tes appâts (crevettes, coquillages sans coquille ou vers ramassés dans le sable)

une canne à pêche ou une tige de bambou assez longue, au bout de laquelle tu pourras attacher ta ligne

une ligne

un bouchon

des plombs qui entraînent l'hameçon vers le fond

un hameçon

Installe-toi sur une jetée ou sur un rocher et surveille l'heure de la marée. Dès que tu as une touche, remonte ta ligne rapidement. Si le poisson est trop petit (moins de 12 cm), rejette-le à la mer.

LES POISSONS DES EAUX PEU PROFONDES

DANS LES FONDS ROCHEUX

le congre

le lieu jaune

la murène

le bar

DANS LES HERBIERS ET LES ALGUES

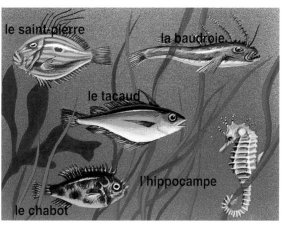

le saint-pierre

la baudroie

le tacaud

l'hippocampe

le chabot

DANS LES FONDS SABLEUX

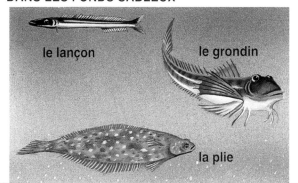

le lançon

le grondin

la plie

DANS LES FLAQUES

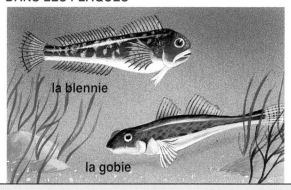

la blennie

la gobie

ENTRE LA TERRE
ET LA MER

À marée basse, quand la mer se
retire vers le large, tout paraît
désert. Ne t'y trompe pas ! Dans le
sable, les mares ou sur les rochers
se cachent des milliers d'animaux.
À toi de les dénicher pour les
observer. Explore les rochers,
examine les fissures, soulève les
algues et penche-toi dans les creux
pour regarder la foule d'espèces
étonnantes qu'abritent les mares.
Marche sur la plage et cherche
à découvrir les petits êtres qui
vivent sous tes pieds. Lève aussi
les yeux et regarde les oiseaux
qui volettent autour de toi.
La vie grouille de partout !

QU'APPELLE-T-ON
MILIEU INTERTIDAL ?

Entre la mer et la terre se trouve
une bande de terrain appelée
zone intertidale ou zone de
balancement des marées.
C'est un milieu particulièrement
instable pour la faune et la flore
qui s'y trouvent : à chaque marée
basse, les plantes et les animaux
des rochers et des plages sont
exposés au vent, à la sécheresse,
aux rayons du soleil ou au froid,
ainsi qu'aux prédateurs terrestres.
Les mollusques, crustacés, algues...
du milieu intertidal sont en fait
parfaitement adaptés (par leur
morphologie, leur mode de vie...)
à ce bouleversement cyclique.

renflement reproducteur

flotteur

crampon

LE FUCUS VÉSICULEUX

La balane se fixe sur les rochers et
ferme hermétiquement sa coquille
pour limiter la perte en eau.

laitue de mer

L'anémone de mer
emprisonne ses proies
avec ses tentacules.

Le murex, ou perceur, est un escargot
carnivore. Il creuse un trou dans
la coquille de sa victime et aspire
la chair avec sa trompe.

OBSERVE LE LICHEN

Le lichen est un végétal formé d'une souche (thalle) où vivent en association une algue et un champignon. Il pousse très lentement sur le sommet des rochers, toujours hors de l'eau. Les différentes espèces se répartissent par étages. Détache délicatement un lichen avec une lame de couteau. Chez toi, observe-le à la loupe. Distingue le bord dentelé et la partie centrale, d'une autre couleur, où se trouvent les organes reproducteurs. Identifie ton lichen avec un guide et sèche-le bien à plat pour le ranger ensuite dans ton herbier (p. 19).

En haut, un lichen orangé. Plus bas, un lichen noir, qui marque d'une ligne foncée le niveau des hautes mers.

Observe la vie dans les mares à travers un masque de plongée.

L'ophiure a cinq bras très fins et très mobiles.

Les moules s'agrippent aux rochers à l'aide de filaments produits par une glande située dans le pied. Elles se nourrissent en filtrant l'eau de mer.

La blennie, dite aussi gobie ou perce-pierre : les yeux de ce poisson des mares sont placés en haut de la tête. Ainsi, il peut voir arriver les oiseaux de mer prédateurs.

L'oursin se déplace sur ses piquants.

Le pourpre est l'ennemi des moules, des balanes et des patelles.

Le bernard-l'ermite s'installe dans des coquilles abandonnées.

Avec ses tentacules, l'étoile de mer s'accroche et capture ses proies.

algue rouge

Ramasse des coquillages

Les moules **1**, les patelles **2**, les huîtres **3**, les bigorneaux **4**, les troques épaisses **5**, les buccins ou bulots **6** sont des coquillages comestibles. Avant de les ramasser pour les manger, assure-toi que l'endroit où tu pêches n'est pas pollué, car les coquillages filtrent beaucoup d'eau et peuvent ainsi accumuler des produits toxiques dans leur chair.

La littorine bleue **7**, la littorine des rochers **8**, la gibbule **9**, la pourpre **10** et le perceur **11** n'ont aucun goût : observe-les, puis replace-les sur les rochers.
Complète ta pêche avec des coquillages que tu trouveras dans le sable : coques, pétoncles, praires, palourdes et couteaux.

LA PATELLE SE DÉPLACE

Contrairement à la balane (voir p. 22) dont la coquille est fixée au rocher, la patelle se déplace. À marée basse, elle colle parfaitement au rocher ; et à marée haute, elle part brouter des algues. Puis, quand la mer se retire, la patelle retourne s'installer dans son petit creux rond.

SYNONYMES

En fonction des régions, les mollusques et les crustacés peuvent avoir des noms très différents. Par exemple :
– la littorine est aussi appelée bigorneau, pourpre, vigneau…
– le buccin est aussi appelé bulot, escargot de mer…
– le calmar ou encornet…

Capture un crabe pour l'observer

Tu peux faire sortir un crabe de sa cachette en l'appâtant avec un peu de nourriture suspendue au bout d'une ficelle : un morceau de poisson, une patelle ou une crevette.
Dès qu'il s'agrippe, sors-le de l'eau rapidement et saisis-le entre le pouce et l'index sur les bords de sa carapace. Ainsi, il ne te pincera pas.

Fais sortir les animaux de leur cachette

Prends une moule, écarte les valves de la coquille et remets-la dans l'eau. Observe ce qui se passe en regardant à travers le fond de ta boîte en plastique transparent : tu verras sûrement apparaître des petits crabes et des crevettes.

PÊCHE DU BOUQUET DANS LES MARES

MATÉRIEL

Un panier à porter en bandoulière. Tu as besoin des deux mains pour tenir le filet.

Un filet à crevettes : le bord droit sert à racler le fond quand on avance en poussant.

Choisis le bon moment : un jour sans vent, à la fin d'une grande marée descendante (consulte les horaires des marées).

Glisse ton filet le long de la paroi des rochers et pousse-le au fond des mares, sous les cavités. Tu dois le relever d'un geste vif, et souvent pour le débarrasser des algues. Mets les crevettes dans ton panier en ne retenant que celles qui ont plus de 3 cm de long. Rejette aussi celles qui portent des œufs.

DANS LE SABLE HUMIDE ET LA VASE

Le sable humide abrite une multitude de petits animaux que tu peux repérer et identifier grâce à certains indices. Marche lentement, chaussé de sandales, et mène ton enquête !

Les vers

L'arénicole est un ver fouisseur : il creuse des galeries et rejette le sable à la surface sous la forme de tortillons. C'est un bon appât pour la pêche.

Le lanice et la sabelle sont des vers tubicoles : ils vivent dans des «tubes» construits avec des grains de sable. Les petites touffes de filaments qui sortent leur permettent de respirer et de se nourrir.

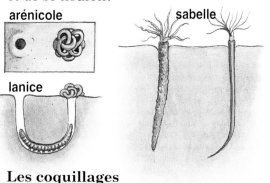

arénicole

sabelle

lanice

Les coquillages

le couteau   la coque

Le couteau et la coque filtrent l'eau de mer à l'aide de siphons. Ils font des petits trous à la surface du sable. Pêche les coques avec une cuillère ou un râteau en évitant celles qui sont ouvertes. Mets-les dans un seau rempli d'eau pour les débarrasser du sable.

Les crustacés

Le crabe masqué fait une petite cuvette en s'enterrant dans le sable. Seul dépasse son «long nez» qui aspire l'eau. Le crabe vert ou enragé disparaît dans l'eau : on ne voit que ses yeux et ses antennes. La crevette grise est transparente ; elle est difficile à repérer mais facile à pêcher. Les minuscules puces ou cloportes de mer se cachent sous les algues rejetées par les vagues. Elles peuvent faire des bonds de 30 cm.

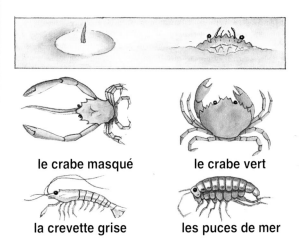

le crabe masqué   le crabe vert

la crevette grise   les puces de mer

Les poissons

Le flet est un poisson plat dont la peau imite parfaitement la couleur du sable. La vive s'enfouit dans le sable. Prends garde à ses épines venimeuses qui dépassent, car elles font très mal ! Le lançon, excellent en friture, est à moitié caché dans le sable. Les jours de grande marée, il envahit parfois les plages.

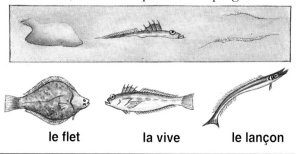

le flet   la vive   le lançon

LES OISEAUX DES PLAGES

Observe-les aux jumelles et cherche à les identifier, ou bien examine les empreintes de leurs pattes sur le sable.

Les oiseaux des plages, dits limicoles, fouillent le sable ou la vase avec le bec à la recherche de vers, crabes, mollusques.

RECONNAIS LES OISEAUX À LA FORME DE LEUR BEC

le courlis cendré a un long bec courbe

les marques de son bec

les empreintes de ses pattes

barge rousse

avocette

huîtrier-pie

tourne-pierre

pluvier argenté

chevalier-gambette

bécasseau

DÉBRIS DE MER

La mer rejette sur la plage des restes d'animaux et toutes sortes d'objets appelés «laisses de mer».
Ramasse et jette à la poubelle les bouteilles en plastique ou les récipients en métal abandonnés par des vacanciers négligents et rejetés par les bateaux.

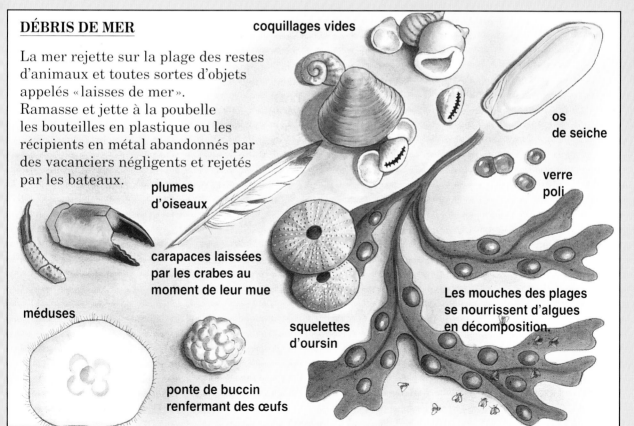

coquillages vides

os de seiche

verre poli

plumes d'oiseaux

carapaces laissées par les crabes au moment de leur mue

Les mouches des plages se nourrissent d'algues en décomposition.

méduses

squelettes d'oursin

ponte de buccin renfermant des œufs

RECONSTITUE LE MILIEU MARIN

1. Utilise des bouteilles en plastique sectionnées aux deux tiers de leur hauteur, ou bien des boîtes en plastique transparent.

2. Dépose sur le fond une couche de sable de 10 cm et remplis au trois quarts d'eau de mer (à renouveler souvent). Reconstitue l'habitat avec quelques galets ou des petites pierres recouvertes d'algues vertes.

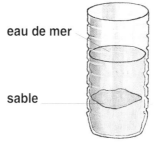

eau de mer

sable

3. Choisis un ou deux animaux de chaque espèce et mets-les dans des bouteilles différentes.

QUELQUES IDÉES D'OBSERVATION

• Regarde les petites crevettes nager.
• Regarde une coque s'enfouir dans le sable.
• Regarde une moule se fixer sur une pierre.
• Regarde le bernard-l'ermite parti à la recherche de son habitat : casse la coquille qu'il occupe, dégage-le et remets-le dans l'eau en lui offrant une nouvelle coquille vide.
• Regarde quelques animaux se nourrir : offre une crevette vivante à l'anémone de mer, une moule vivante à une étoile de mer, un petit peu de viande hachée à un crabe.

4. Place tes récipients dans un endroit frais et ombragé. Couvre-les.

5. Au bout de quelques jours, replace tous les animaux vivants dans leur milieu d'origine. Tes récipients ne remplacent pas un vrai aquarium, équipé d'un filtre et d'un aérateur.

• Ne surcharge pas tes aquariums.
• Limite ton choix aux animaux de petite taille.
• Ne mets pas trop d'algues, car elles pourrissent vite.

UNE COLLECTION DE COQUILLAGES

Après une grande marée, à la limite des hautes eaux, les coquillages rejetés par la mer s'étalent en bordure de la plage. C'est le moment d'en ramasser pour faire une collection !

1. Avant de les mettre dans tes sacs en plastique, vérifie que tes coquillages sont vides et qu'ils ne sont pas habités par un animal comme le bernard-l'ermite.

2. À la maison, nettoie-les dans de l'eau savonneuse tiède.

3. Tu peux classer tes coquillages selon le critère de ton choix : par espèces, par couleurs ou par taille, ou encore d'après leur habitat (sable ou rocher).

4. Choisis un modèle de rangement pour tes coquillages :

– colle-les sur des feuilles de carton ou à l'intérieur des couvercles de boîtes à chaussures ;

– mets-les dans les petits tiroirs en plastique transparent d'une boîte à vis, ou bien dans des bocaux en verre.

5. Pour finir, colle des étiquettes indiquant la date, le lieu de ta récolte et le nom des coquillages.

UNE BALADE SUR LES FALAISES ET LES DUNES

Là, le vent impose sa loi : il projette les embruns salés contre les falaises et, jour après jour, construit les dunes. Observe aux jumelles l'envol des oiseaux de mer sur les falaises. Escalade les dunes en évitant de marcher sur les plantes : leurs racines sont essentielles pour fixer les dunes, et donc les protéger.

LES PLANTES DES DUNES

Les plantes des dunes doivent résister à la fois au sel, à la sécheresse et à l'ensablement. La plupart ont un réseau de racines qui fixe le sable et qui s'enfonce profondément pour trouver l'eau. Leurs feuilles sont épaisses afin d'éviter le dessèchement. Observe l'emplacement des plantes en montant en haut de la dune et en descendant de l'autre côté : plus tu t'éloignes de la mer plus la végétation s'enrichit.

Sur la dune mobile, deux plantes sont essen[tielles] pour fixer le sable : l'oyat et le panicaut. L'oy[at] est une sorte de roseau qui pousse en touff[e] et qui a besoin d'être recouvert par du sable pour grandir. Le panicaut, ou chardon bleu, enfonce ses racines jusqu'à 3 m de profondeur.

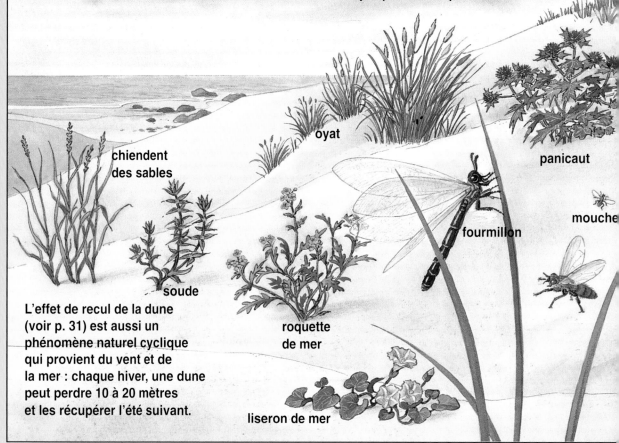

chiendent des sables

oyat

panicaut

fourmillon

mouche

soude

roquette de mer

L'effet de recul de la dune (voir p. 31) est aussi un phénomène naturel cyclique qui provient du vent et de la mer : chaque hiver, une dune peut perdre 10 à 20 mètres et les récupérer l'été suivant.

liseron de mer

Le hérisson est
un animal nocturne.
Il sort de son abri
le soir pour chercher
sa nourriture.

Repère les traces des animaux
sur le sable chaud et sec.
Le lézard des murailles,
le lapin de garenne
ou le lièvre se cachent dans
leurs abris à la moindre alerte.

Les plantes des dunes sont précieuses :
ne les cueille pas. Si tu veux en garder
une trace, dessine-les. Prends un carnet
de croquis et réserve une page par plante.
Trace d'abord les contours, puis colorie.

LES DUNES SONT FRAGILES

Privées de végétation, les dunes
reculent sous l'effet du vent : elles
peuvent se tasser au rythme de
15 à 20 m par an ! Mais on peut
les restaurer. Voici les étapes :

On reforme la dune.

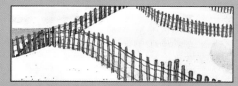

On pose des barrières brise-vent.

On plante des arbres ou des roseaux
(oyats) pour fixer le sable.

queue
de lièvre

scarabée

immortelle

Les escargots des dunes
sont accrochés en
grappes sur les feuilles
étroites des plantes.

abeille

traces de lézard
des murailles

chenille

NICHER DANS LES FALAISES

Dans les falaises, les oiseaux peuvent nicher en toute tranquilité, – à l'abri de leurs prédateurs – et près de leur garde-manger : la mer. Entre deux plongées, à la recherche de poissons pour eux et leurs petits, ils reviennent à leur nid installé, autant que possible, à l'abri du vent.

Les oiseaux nicheurs savent parfaitement profiter de courants produits par la brise pour atteindre le haut de la falaise escarpée.

Les mouettes sont les oiseaux du bord de mer les plus courants de nos régions.

RAMASSE DES PLUMES

Les oiseaux perdent leurs plumes pendant la mue, qui a souvent lieu l'été après la reproduction. Observe-les à la loupe : entre les barbes, tu verras des petits crochets appelés barbules. Pendant leur toilette, les oiseaux lissent leurs plumes pour relier les barbules aux barbes. Consulte un guide d'identification : l'image et la description de la plume t'aideront à retrouver le nom de l'oiseau.

barbules

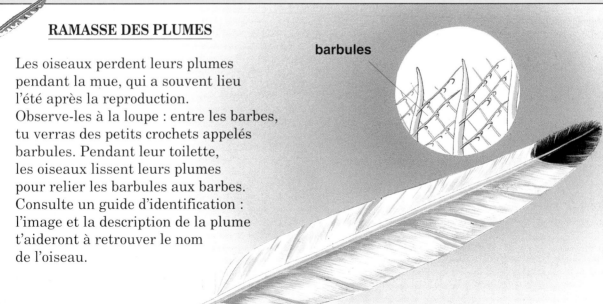

LES OISEAUX NICHEURS ET PÊCHEURS

Les oiseaux sont difficiles à approcher :
observe-les de loin, à l'œil nu et aux
jumelles, et apprends à les reconnaître.

Le vol

Le <u>macareux-moine</u> agite
vigoureusement ses petites ailes
pointues en rasant la surface de l'eau.

La pêche

sterne

fou
de bassan

La <u>sterne plane</u>, immobile, avant
de piquer brusquement vers l'eau.

Le <u>fou de Bassan</u> vole très haut dans
le ciel, puis plonge en piqué, les ailes
serrées vers l'arrière. Il nage sous l'eau
jusqu'à 10 m de profondeur.

Les migrateurs
L'huîtrier-pie (**1**) quitte l'Europe
pour passer l'hiver en Afrique.
Le bécasseau (**2**), le grand gravelot (**3**) et
la barge (**4**) viennent des pays nordiques
pour hiverner chez nous.
Le pluvier argenté (**5**) et la sterne
arctique (**6**) font étape en France
et poursuivent ensuite leur migration
vers le Sud.

Le <u>goéland argenté</u> plane
lentement et profite des courants
ascendants pour s'élever dans les airs.

Le <u>cormoran</u> bat des ailes. En altitude,
les groupes, très ordonnés, volent
rassemblés en triangle.

Le <u>guillemot de troïl</u> : sous l'eau, ses pattes
palmées lui servent de gouvernail.

Le <u>puffin</u> se balance et glisse en effleurant
à peine la surface de l'eau.

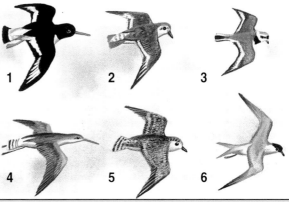

1

2

3

4

5

6

LIEU DE MILLE PLAISIRS

Courir dans le vent, plonger sous les vagues, faire la planche : les plaisirs du bord de mer sont nombreux ! Dans le sable humide de la plage, tu peux inventer plein de jeux amusants : creuser des tunnels, sculpter des animaux, faire marcher des petits moulins à eau ou construire des ponts. Renseigne-toi sur les prévisions météo : si l'on annonce une belle journée ensoleillée avec une brise modérée, c'est le moment de faire voler ton cerf-volant et d'organiser un grand pique-nique sur la plage avec tes amis.

LES SPORTS DE LA MER

La meilleure façon de t'initier est de t'inscrire dans un club.

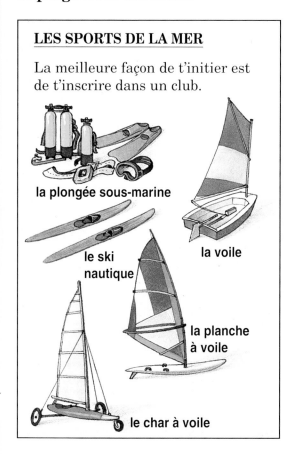

la plongée sous-marine

le ski nautique

la voile

la planche à voile

le char à voile

MATÉRIEL

– Deux baguettes rondes et droites, de 5 mm de diamètre ; l'une doit mesurer 80 cm de long, l'autre 46 cm.

– 20 m environ de ficelle fine ou de fil de pêche en Nylon assez épais, enroulé sur une bobine ou un morceau de bois.

– Du papier d'emballage ou du tissu fin ; (tu peux aussi utiliser des sacs poubelle : ils sont très pratiques mais ne peuvent pas être décorés.)

– Et : colle, canif, anneau, feutres , papier de couleur.

FABRIQUE TON CERF-VOLANT

1. Trace des repères sur chaque baguette : sur la plus longue, mesure 30 cm ; sur l'autre, marque le milieu (23 cm). Dispose-les en croix et fixe-les avec de la ficelle.

2. Creuse une encoche avec ton canif aux extrémités de chaque baguette.

3. Passe la ficelle dans les encoches ; tends-la en faisant un nœud en bas de façon à obtenir une armature bien rigide.

4. Place l'armature sur le papier d'emballage ou le tissu posé à plat. Découpe-le sur le contour en ajoutant 3 ou 4 cm de chaque côté. Aux angles, découpe des petits demi-cercles.

5. Sur l'autre face, décore avec les feutres.

6. Replie les rebords et colle-les par-dessus la ficelle.

7. Attache trois bouts de ficelle de même longueur (50 cm) à l'extrémité des trois baguettes du haut. Noue-les à l'anneau destiné à recevoir la longue ficelle de vol.

8. En bas du cerf-volant, noue une autre ficelle de 1 m de long, et attache tous les 10 cm une papillote en papier de couleur différente.

La queue équilibre le cerf-volant et l'aide à se maintenir sur les courants d'air. Tu peux faire varier sa longueur et régler son poids en ajoutant ou en supprimant des papillotes. Fais des essais pour adapter ton cerf-volant à la force du vent.

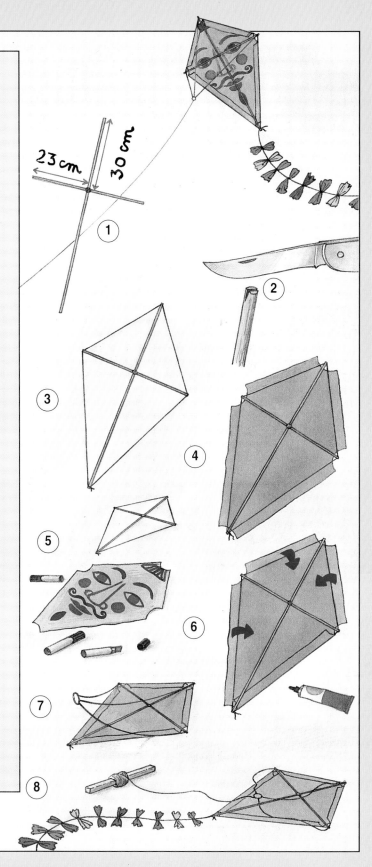

LA BAIGNADE : RÈGLES DE SÉCURITÉ

• Choisis une plage surveillée. Regarde les panneaux t'indiquant les zones de courants, les heures des marées et les conditions météo de la journée. Un maître nageur se tient prêt à secourir les baigneurs en difficulté pendant les heures de surveillance.

• Observe la couleur du drapeau hissé à l'entrée de la plage.

La baignade est autorisée quand le drapeau est vert ou orange.

Elle est interdite quand le drapeau est rouge : la mer est déchaînée, le vent est trop fort.

Le drapeau bleu indique que la baignade est interdite pour cause de pollution.

• La zone de baignade est généralement délimitée par des bouées disposées en arc de cercle. Ne la confonds pas avec le couloir réservé aux planches à voile et aux bateaux à moteur.

• Entre progressivement dans l'eau. Si tu t'es exposé longtemps au soleil ou si tu viens de déjeuner, attends un peu. Sors de l'eau si tu frissonnes ou si tu as mal à la tête.

Fais la planche

Au moment où la mer remonte, prépare-toi à flotter sur l'eau ; gonfle bien tes poumons d'air, contracte tes muscles et laisse-toi dériver au gré des vagues. Au bout de quelques minutes, tu sentiras un courant qui t'entraîne vers la gauche ou la droite de la plage. Reste prudent : ne t'éloigne pas trop car, à certains endroits, le courant peut brusquement s'accélérer.

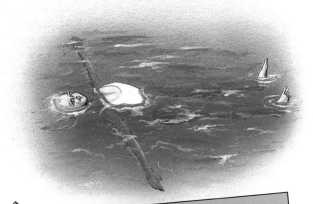

LE SAIS-TU ?

Il est plus facile d'apprendre à nager dans l'eau de mer que dans l'eau de la piscine. L'eau de mer, froide et salée, est plus dense que l'eau douce et tiède de la piscine, elle porte donc davantage. La mer Morte, en Israël, est tellement salée que les baigneurs flottent en lisant tranquillement leur journal !

ORGANISE UN PIQUE-NIQUE SUR LA PLAGE

Chez toi. Nettoie les coques, les praires et les palourdes en les faisant tremper deux heures dans l'eau salée. Veille à renouveler souvent l'eau pour les vider de leur sable.

– Fais cuire les bigorneaux, les crevettes et les crabes dans un court-bouillon. Fais bouillir de l'eau froide salée et poivrée avec un oignon, du thym et du laurier. Laisse-les refroidir hors de l'eau.

– Fais cuire les moules à feu doux dans une casserole sans couvercle avec un oignon, du thym et du persil. Remue-les et attends que les coquilles s'ouvrent.

UN BATEAU DE SABLE

Profite de la marée montante pour construire un grand bateau.
– Construis des bords épais et solides pour empêcher l'eau de l'envahir.
– À mesure que la mer s'avance, consolide les bords, renforce les bases et colmate les brèches. Encerclé par l'eau, redouble d'efforts et fais évacuer tes amis. Toi, le capitaine, quitte le navire seulement lorsqu'il disparaît complètement sous les flots et dépêche-toi de rejoindre la terre ferme !

TEMPS DE CUISSON

Bigorneaux : 3 minutes
Crevettes : 5 minutes
Crabes (étrilles et tourteaux) : 10 à 25 minutes, selon leur taille.

Sur la plage, tu peux préparer :
– les coques, les praires et les palourdes crues, avec un filet de citron ;
– les bigorneaux cuits, en les sortant de leur coquille avec une épingle ;
– les moules et les coques débarrassées de leur coquille ;
– les crevettes et les crabes avec de la mayonnaise. Emporte un casse-noix pour les pinces de tourteaux ;
– les huîtres avec du pain de seigle. Demande à un adulte de les ouvrir sur place.

LES ACTIVITÉS
DES HOMMES

Depuis toujours, l'homme a su exploiter les bords de mer pour se nourrir, communiquer, échanger... Visite un port, assiste au déchargement d'un chalutier, monte en haut d'un phare, promène-toi dans des marais salants... Tu verras que les bords de mer font vivre des milliers de personnes. Mais, à force d'être envahis par des vacanciers négligents, d'être aménagés pour les besoins de l'industrie et du tourisme, ils se dégradent. Leur équilibre est menacé. Apprends à les respecter : tu aideras à les protéger.

QU'EST-CE QUE L'AQUACULTURE ?

L'aquaculture est l'élevage ou la culture d'animaux et de plantes aquatiques (eau douce et eau de mer).
Aujourd'hui, la plupart des huîtres, moules, palourdes... que nous mangeons proviennent d'élevages.
Les algues sont utilisées dans l'industrie alimentaire (c'est un des ingrédients des confitures, glaces, mayonnaise...), dans l'industrie textile, les médicaments, les produits de beauté...
Les Japonais les consomment simplement comme légumes.

Les marais salants sont des bassins creusés près des côtes où l'on extrait l'eau de mer par évaporation.

La myticulture (élevage des moules) peut-être pratiquée sur bouchots ; ce sont des sortes de clôtures en bois disposées en bord de mer. Les moules se fixent sur des cordes qui sont enroulées autour des bouchots.

Les poissons sont de plus en plus difficiles à pêcher ; les effectifs se sont réduits du fait d'une surexploitation ces trente dernières années. C'est la raison pour laquelle on s'oriente maintenant vers des techniques de pêche sélective. L'objectif est – par des filets appropriés – de n'attraper que les poissons d'une espèce donnée et d'une taille suffisante.

Au sommet du phare, des feux guident les navires la nuit.

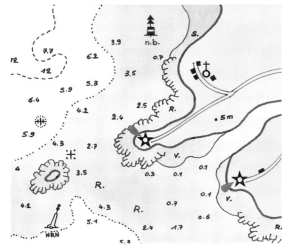

Les distances sont précisées en milles marin (un mille marin est égal à 1 852 m).

LIS UNE CARTE MARINE

À la capitainerie du port, tu peux voir des cartes marines utilisées par les navigateurs pour se repérer.

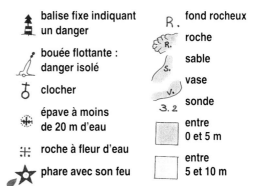

balise fixe indiquant un danger

bouée flottante : danger isolé

clocher

épave à moins de 20 m d'eau

roche à fleur d'eau

phare avec son feu

R. fond rocheux

roche

sable

vase

sonde

entre 0 et 5 m

entre 5 et 10 m

UNE VENTE À LA CRIÉE

Le meilleur moyen de connaître les poissons que l'on pêche dans la mer est d'assister à une vente à la criée sur le port.
Les mareyeurs (grossistes) achètent aux enchères les poissons fraîchement débarqués des bateaux de pêche et triés par espèces pour les revendre ensuite aux poissonniers (détaillants).

Le lieu (1), le merlan (2), le cabillaud (3) ont trois nageoires dorsales.

les poissons des rochers et des herbiers : rouget (4), saint-pierre (5).

les poissons plats des fonds sableux : sole (6), limande (7), plie (8), turbot (9), raie (10).

les poissons de haute mer : anchois (11), sardine (12), maquereau (13), thon (14).

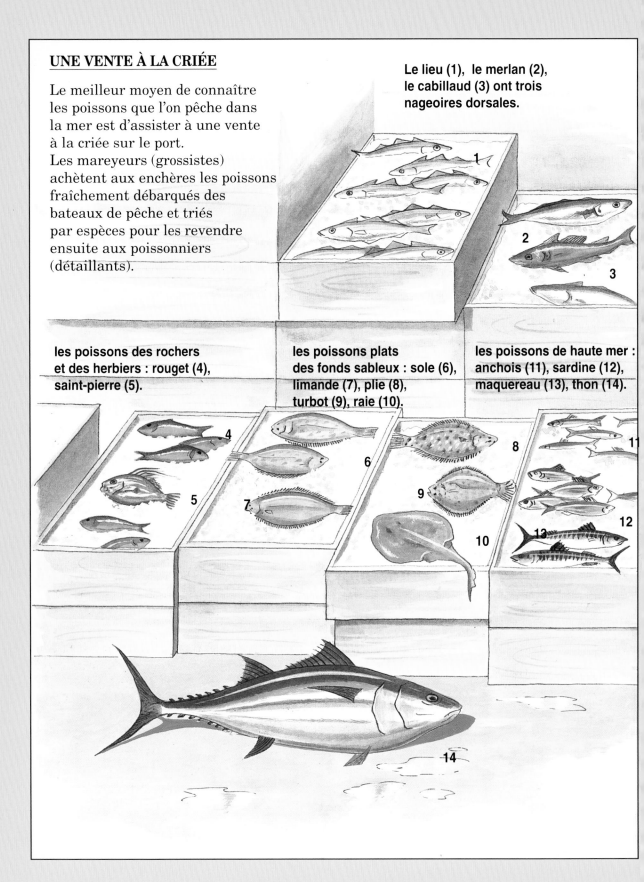

40

LA PROTECTION DU LITTORAL

Ce qu'il faut éviter de faire

– Ne jette pas tes détritus à la mer, ne les enterre pas non plus : emporte-les pour les mettre dans une poubelle.

– N'arrache pas les algues par paquets.

– N'effraie pas les oiseaux de mer dans les zones de nidification.

– Ne dévale pas les dunes en courant, n'y creuse pas de trou et ne piétine pas leur végétation.

Ce qu'il faut faire

– Remets toujours du bon côté le rocher que tu viens de bouger.

– Replace les animaux vivants dans leur milieu d'origine après les avoir observés. Renonce aux élevages : les animaux sont mieux en liberté.

– Limite ta pêche, garde seulement ce qui est comestible et relâche les spécimens trop petits.

– Marche sur les sentiers aménagés en haut des falaises et dans les dunes.

LA POLLUTION DE LA MER

– On déverse chaque jour dans la mer l'eau des égouts, des déchets et des produits chimiques.

– Des pétroliers échoués provoquent des «marées noires».

– Sur les plages, toutes sortes de détritus (jetés en mer et ramenés par les vagues ou abandonnés par les touristes) s'accumulent.

– En rejetant à la mer de la terre ou du sable pour construire de nouveaux ports, des villages de vacances ou des zones industrielles, on détruit les herbiers marins qui abritent de nombreux animaux.

– On pêche d'énormes quantités de poissons en une seule fois, sans leur laisser le temps de se reproduire.

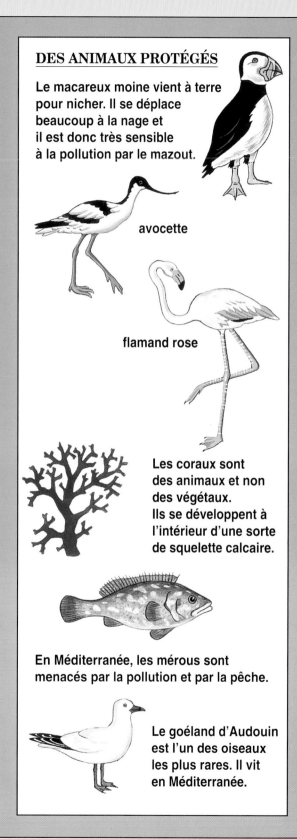

DES ANIMAUX PROTÉGÉS

Le macareux moine vient à terre pour nicher. Il se déplace beaucoup à la nage et il est donc très sensible à la pollution par le mazout.

avocette

flamand rose

Les coraux sont des animaux et non des végétaux. Ils se développent à l'intérieur d'une sorte de squelette calcaire.

En Méditerranée, les mérous sont menacés par la pollution et par la pêche.

Le goéland d'Audouin est l'un des oiseaux les plus rares. Il vit en Méditerranée.

LES ADRESSES ET RENSEIGNEMENTS UTILES

Conservatoire de l'espace littoral et des rivages lacustres
72, rue Regnault
75013 Paris
ou Corderie Royale
BP 137 – 17306 Rochefort Cedex

Fédération des parcs naturels de France
4, rue de Stockholm
75008 Paris

Fédération française d'études et de sports sous-marins
34, rue du Colisée
75008 Paris

France-Nature-Environnement (FFSPN)
57, rue Cuvier
75005 Paris

Institut français de recherche pour l'exploitation de la mer (IFREMER)
rue de l'Île-d'Yeu
42000 Nantes

Ligue française pour la protection des oiseaux
La Corderie Royale
BP 263 – 17305 Rochefort Cedex
et 51, rue Laugier
75017 Paris

Ministère de l'Environnement
Direction de la protection de la nature
14, boulevard du Général-Leclerc
92521 Neuilly

Secrétariat d'État à l'Environnement
14, boulevard du Général-Leclerc
92524 Neuilly-sur-Seine Cedex
et 45, avenue Georges-Mandel
75116 Paris

Société d'études ornithologiques de France (ENS)
46, rue d'Ulm
75005 Paris

Société nationale de protection de la nature
57, rue Cuvier
75005 Paris

Société ornithologique de France
55, rue Buffon
75005 Paris

Société pour l'étude et la protection de la nature en Bretagne (SEPNB)
école des Quatre-Moulins
186, rue Anatole-France
29200 Brest

Union nationale des fédérations départementales d'associations agréées de pêche
17, rue Bergère
75009 Paris

WWF-France (Fonds mondial pour la nature)
151, boulevard de la Reine
78000 Versailles

LEXIQUE

Alluvions : ce sont les débris (graviers, cailloux, boue...) transportés par les eaux courantes et déposés au fond ou sur les berges. La formation d'alluvions peut résulter d'une diminution de la pente d'un fleuve et de sa vitesse.

Ammonite : mollusque, ancêtre de la pieuvre et de la seiche actuelles.

Baie : rivage sableux en forme d'arc de cercle.

Bouquet : nom donné aux grosses crevettes qui deviennent roses lors de la cuisson.

Cap : pointe de terre ou de roche souvent élevée qui s'avance dans la mer.

Capitainerie : lieu ou l'on surveille les mouvements de bateaux qui entrent et sortent du port. On peut y obtenir des renseignements sur la météo, les marées et les conditions de navigation.

Criée : les pêcheurs vendent leur poisson aux enchères à des mareyeurs. Ceux-ci proposent pour chaque lot de poisson un prix annoncé à haute voix par le crieur. Le plus offrant l'emporte et charge le poisson pour le revendre à des détaillants.

Delta : les alluvions transportés par un fleuve peuvent se déposer et s'accumuler à son arrivée dans la mer. Ils forment alors une sorte de plaine nommée delta.

Embouchure : l'endroit où le fleuve se jette dans la mer.

Épave : reste de navire coulé à proximité des côtes. Les épaves sont signalés sur les cartes marines, et dans la mer, on les évite grâce à des bouées.

Espèce : les animaux d'une même espèce peuvent se reproduire entre eux.

Estuaire : élargissement en forme de triangle à l'embouchure d'un fleuve.

Évaporation : processus par lequel un liquide chauffé devient de la vapeur ou un gaz.

Golfe : partie de mer qui s'enfonce dans les terres en creusant une forme arrondie.

Jetée : sorte d'avancée dans la mer située à l'entrée d'un port ; elle peut être construite en bois, en béton, ou avec des blocs de pierre.

Larve : en sortant de leur œuf et avant de devenir adultes, certains animaux comme le crabe ou la crevette ont la forme d'une larve.

Marée noire : elle est produite par l'accident d'un pétrolier qui déverse dans la mer sa cargaison de pétrole. Sous la forme de nappe, elle dérive au gré des courants et des vagues et envahit les plages et les rochers des côtes proches. Ses effets sont catastrophiques pour la faune et la flore.

Mue : dépouille d'un animal qui a mué pour grandir. Les crustacés comme le crabe, la crevette ou le homard muent, ils changent de carapace, et abandonnent l'ancienne.

Valve : chacune des parties d'une coquille. Les mollusques bivalves ont deux coquilles, comme les moules ou les coquilles Saint-Jacques.

Ventouses : organes de fixation situés sur les tentacules de certains animaux, comme la pieuvre.

551.46   Joly, Dominique
JOL   Explore la mer et
          ses rivages

NOV 03 04	DATE DUE	
OCT 2 9 2012		
NOV 2 6 2012		

035101